Erratum

Vorwort

Entstanden für gemischten Chor, sind die vorliegenden Arrangements der Songs aus der „Dreigroschenoper" von ihrer Grundkonzeption her vierstimmig. In der *Moritat von Mackie Messer* wird der Satz jedoch durch eine zusätzliche Sopranstimme erweitert. Der Song *Ruf aus der Gruft* ist doppelchörig angelegt; seine kontrastierenden Parts dürften in einer hier zweigeteilten Chor-Aufstellung besser zur Geltung kommen.

Die Chorsätze versuchen die Klanggestalt nachzuzeichnen, die im Original durch das Zusammenspiel der Solo-Stimme und des begleitenden Instrumental-Ensembles entsteht. Die in den Begleitstimmen angegebenen Tonsilben können daher mit „instrumentalem Gestus" verstanden und ausgestaltet werden.

Wichtig ist die Textverständlichkeit! Um in diesem Sinne – und sicher auch im Sinne Brechts – eine überhastete Ausführung zu vermeiden, sollten die Tempi zum Teil langsamer genommen werden, als man es in einigen gängigen Einspielungen der „Dreigroschenoper" hört.

Die Ausführung ist sowohl a-cappella als auch mit der Klavierbegleitung aus dem Klavierauszug denkbar.

Doch über allem steht: Was wir tun, ist und bleibt eine Hommage an die wunderbare Musik, die Kurt Weill mit der „Dreigroschenoper" geschaffen hat!

Gisela Kanngießer, März 2007

Preface

The arrangements of songs from the 'Dreigroschenoper' were written for a mixed choir and are therefore generally intended to be in four parts. However, *Die Moritat von Mackie Messer* gained an extra soprano part. The song *Ruf aus der Gruft* is arranged for two choirs, and accordingly, the best effect would be gained from placing each choir in quite separate positions.

The choral scores attempt to capture the tonal quality the original achieves through the combination of solo voices and accompanying instrumental ensembles. The syllables provided for the accompanying voices should therefore be performed with 'instrumental nuance'.

An important element in performance is clear diction! In order to avoid any kind of hurried performance, both for the clarity of the text and certainly in agreement with Brecht's intentions, the tempo should, in some cases, be slower than we encounter in some of the more conventional recordings of the 'Dreigroschenoper'.

These songs could either be performed a cappella, or with the piano accompaniment in the piano score.

However, the underlying maxim remains: whatever we do is, and remains, homage to the wonderful music Kurt Weill wrote for the 'Dreigroschenoper'!

Gisela Kanngießer, March 2007

Préface

Conçus pour choeurs mixtes, les présents arrangements des airs de « Dreigroschenoper » comprennent quatre voix dans leur conception de base. Dans *Die Moritat von Mackie Messer* le mouvement se voit encore amplifié par une voix de soprano. L'air *Ruf aus der Gruft* est agencé pour deux chœurs ; ses parties contrastantes seront mieux soulignées réparties sur deux chœurs.

Les mouvements chorals tentent de reproduire l'agencement sonore qui, dans l'original, naît du jeu entre les voix solistes et les ensembles instrumentaux de l'accompagnement. Les syllabes sonores indiquées dans les voix d'accompagnement peuvent donc être comprises et agencées avec un « geste instrumental ».

La compréhension du texte est décisive! Dans cet esprit (et certes aussi dans celui de Brecht), pour éviter une interprétation trop rapide, certains tempi devraient être pris plus lentement que ceux de certains enregistrements courants de « Dreigroschenoper ».

L'interprétation est envisageable a cappella, mais aussi avec accompagnement de la reduction pour piano.

L'important étant que, quoique nous en fassions, ceci est et reste un hommage à la merveilleuse musique de « Dreigroschenoper » de Kurt Weill!

Gisela Kanngießer, Mars 2007

WEILL / BRECHT

FÜNF SONGS

AUS DER „DREIGROSCHENOPER“

arrangiert für gemischten Chor
von Gisela Kanngießer

Chorpartitur

UE 33 663
ISMN M-008-07867-5
UPC 8-03452-06230-1
ISBN 978-3-7024-3331-4

Vorwort

Entstanden für gemischten Chor, sind die vorliegenden Arrangements der Songs aus der „Dreigroschenoper“ von ihrer Grundkonzeption her vierstimmig. In der *Moritat von Mackie Messer* wird der Satz jedoch durch eine zusätzliche Sopranstimme erweitert. Der Song *Ruf aus der Gruft* ist doppelchörig angelegt; seine kontrastierenden Parts dürften in einer hier zweigeteilten Chor-Aufstellung besser zur Geltung kommen.

Die Chorsätze versuchen die Klanggestalt nachzuzeichnen, die im Original durch das Zusammenspiel der Solo-Stimme und des begleitenden Instrumental-Ensembles entsteht. Die in den Begleitstimmen angegebenen Tonsilben können daher mit „instrumentalem Gestus“ verstanden und ausgestaltet werden.

Wichtig ist die Textverständlichkeit! Um in diesem Sinne – und sicher auch im Sinne Brechts – eine überhastete Ausführung zu vermeiden, sollten die Tempi zum Teil langsamer genommen werden, als man es in einigen gängigen Einspielungen der „Dreigroschenoper“ hört.

Die Ausführung ist sowohl a-cappella als auch mit der Klavierbegleitung aus dem Klavierauszug denkbar. Ebenso ist es möglich, die Instrumente aus der Original-Fassung hinzuzuziehen.

Doch über allem steht: Was wir tun, ist und bleibt eine Hommage an die wunderbare Musik, die Kurt Weill mit der „Dreigroschenoper“ geschaffen hat!

Gisela Kanngießer, März 2007

Preface

The arrangements of songs from the 'Dreigroschenoper' were written for a mixed choir and are therefore generally intended to be in four parts. However, *Die Moritat von Mackie Messer* gained an extra soprano part. The song *Ruf aus der Gruft* is arranged for two choirs, and accordingly, the best effect would be gained from placing each choir in quite separate positions.

The choral scores attempt to capture the tonal quality the original achieves through the combination of solo voices and accompanying instrumental ensembles. The syllables provided for the accompanying voices should therefore be performed with 'instrumental nuance'.

An important element in performance is clear diction! In order to avoid any kind of hurried performance, both for the clarity of the text and certainly in agreement with Brecht's intentions, the tempo should, in some cases, be slower than we encounter in some of the more conventional recordings of the 'Dreigroschenoper'.

A performance could either be staged a cappella, or with the piano accompaniment in the piano score. Another option would be to add the instruments from the original version.

However, the underlying maxim remains: whatever we do is, and remains, homage to the wonderful music Kurt Weill wrote for the 'Dreigroschenoper'!

Gisela Kanngießer, March 2007

Préface

Conçus pour choeurs mixtes, les présents arrangements des airs de « Dreigroschenoper » comprennent quatre voix dans leur conception de base. Dans *Die Moritat von Mackie Messer* le mouvement se voit encore amplifié par une voix de soprano. L'air *Ruf aus der Gruft* est agencé pour deux chœurs ; ses parties contrastantes seront mieux soulignées réparties sur deux chœurs.

Les mouvements chorals tentent de reproduire l'agencement sonore qui, dans l'original, naît du jeu entre les voix solistes et les ensembles instrumentaux de l'accompagnement. Les syllabes sonores indiquées dans les voix d'accompagnement peuvent donc être comprises et agencées avec un « geste instrumental ».

La compréhension du texte est décisive! Dans cet esprit (et certes aussi dans celui de Brecht), pour éviter une interprétation trop rapide, certains tempi devraient être pris plus lentement que ceux de certains enregistrements courants de « Dreigroschenoper ».

L'interprétation est envisageable a cappella, mais aussi avec accompagnement de la reduction pour piano. Il est également possible d'y ajouter les instruments de la version originale.

L'important étant que, quoique nous en fassions, ceci est et reste un hommage à la merveilleuse musique de « Dreigroschenoper » de Kurt Weill!

Gisela Kanngießer, Mars 2007

Fünf Songs aus der „Dreigroschenoper“

Text von Bertolt Brecht (1898 –1956), Musik von Kurt Weill (1900 –1950)
für gemischten Chor eingerichtet von Gisela Kanngießer

Die Moritat von Mackie Messer

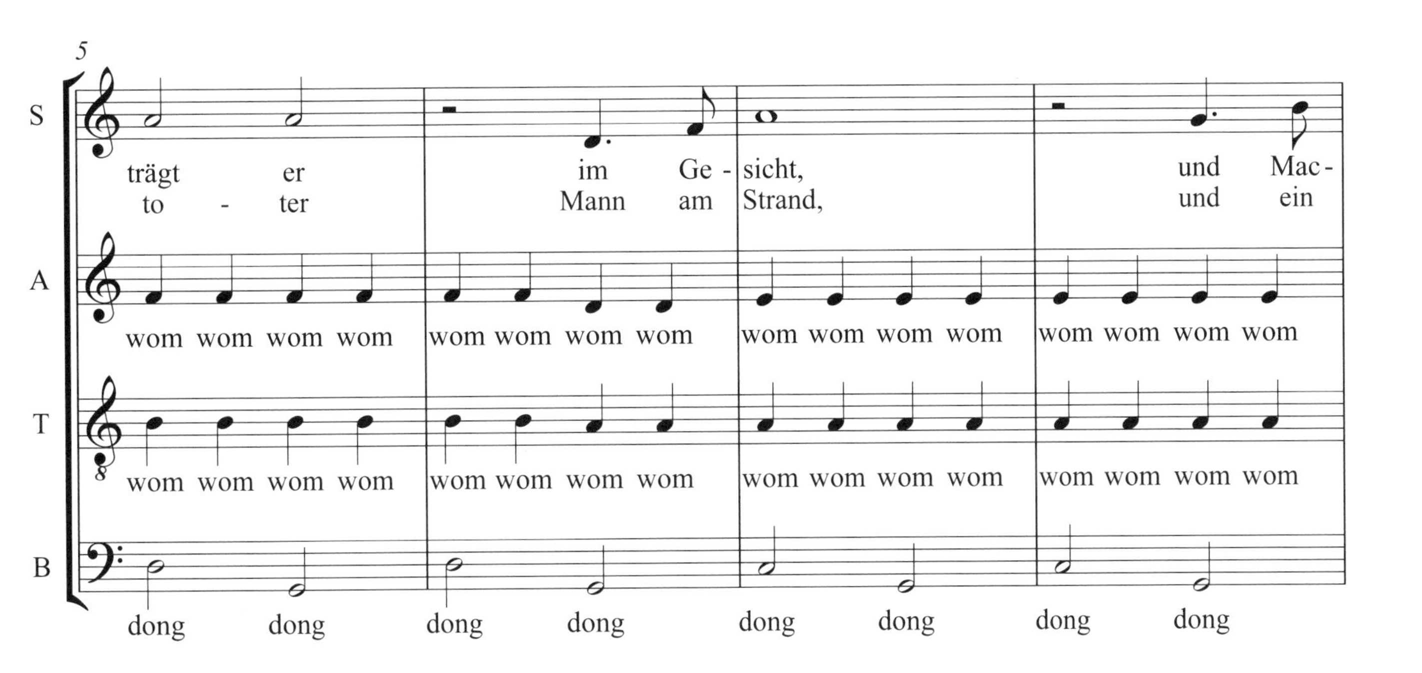

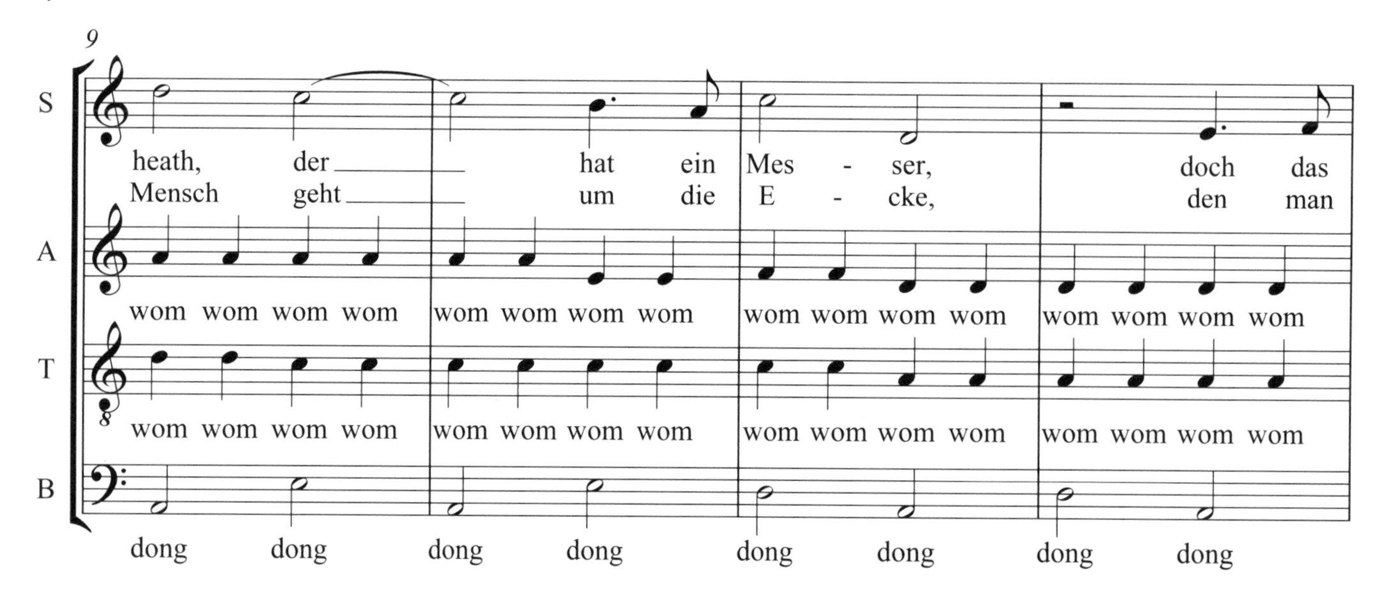
9
S
heath, der hat ein Mes - ser, doch das
Mensch geht um die E - cke, den man
A
wom wom wom wom wom wom wom wom wom wom wom wom wom wom wom wom
T
wom wom wom wom wom wom wom wom wom wom wom wom wom wom wom wom
B
dong dong dong dong dong dong dong dong

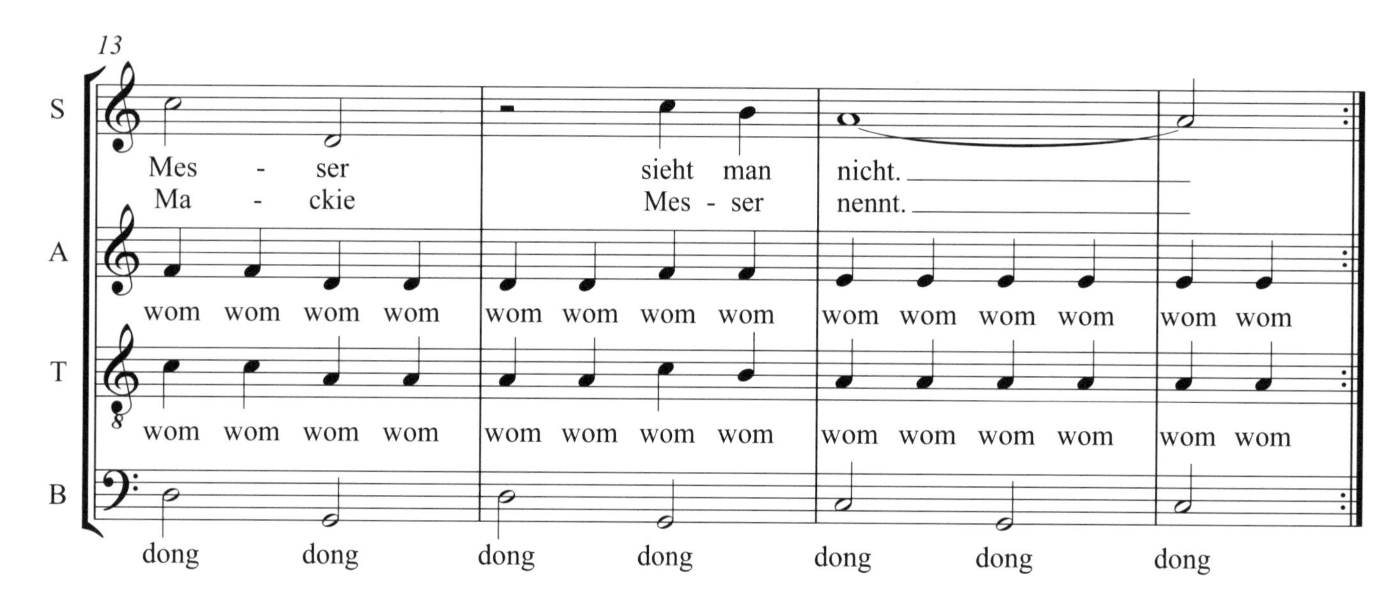
13
S
Mes - ser sieht man nicht.
Ma - ckie Mes - ser nennt.
A
wom wom wom wom wom wom wom wom wom wom wom wom wom wom
T
wom wom wom wom wom wom wom wom wom wom wom wom wom wom
B
dong dong dong dong dong dong dong

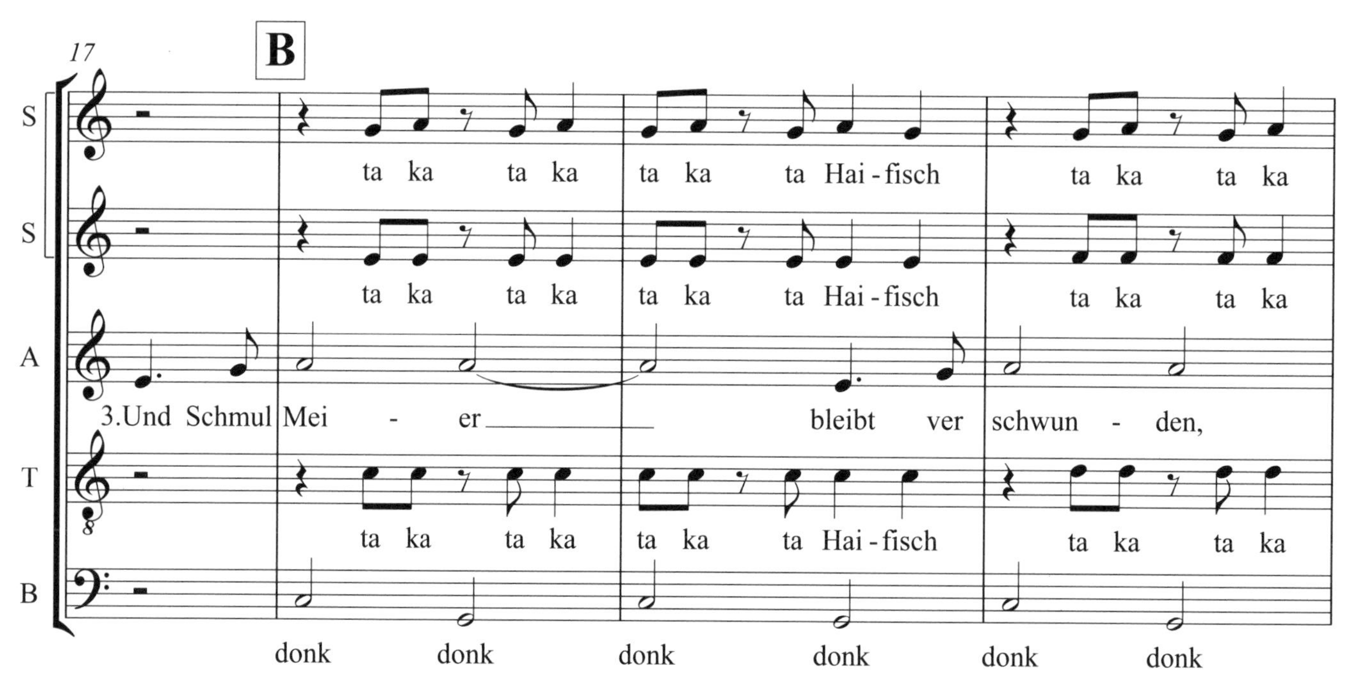
17
B
S
ta ka ta ka ta ka ta Hai - fisch ta ka ta ka
S
ta ka ta ka ta ka ta Hai - fisch ta ka ta ka
A
3.Und Schmul Mei - er bleibt ver schwun - den,
T
ta ka ta ka ta ka ta Hai - fisch ta ka ta ka
B
donk donk donk donk donk donk

21
S
S
A
T
B
ta ka ta Hai-fisch ta ka ta ka ta ka ta Hai-fisch ta ka ta ka
und so man - cher rei - che Mann,
donk donk donk donk donk donk donk donk
25
ta ta ka ta ka ta ka ta ka ta ta ka ta ka ta
und sein Geld hat Ma - ckie Mes - ser,
ta Und sein Geld hat Ma - ckie Mes - ser,
donk donk donk donk donk donk donk donk
29
ka ta ka ta ta ka ta ka ta ka ta ka ta ta ka ta ka ta
dem man nichts be - - wei - sen kann.
donk donk donk donk donk donk donk donk

C
33
S
S
A
T
B
ka
ding din-ge ding din-ge
ding din-ge ding ding
ding din-ge ding din-ge
ka
ding din-ge ding din-ge
ding din-ge ding ding
ding din-ge ding din-ge
ding din-ge ding din-ge
ding din-ge ding ding
ding din-ge ding din-ge
4. Jen - ny Tow - ler ward ge - fun - den,
donk donk donk donk donk donk donk

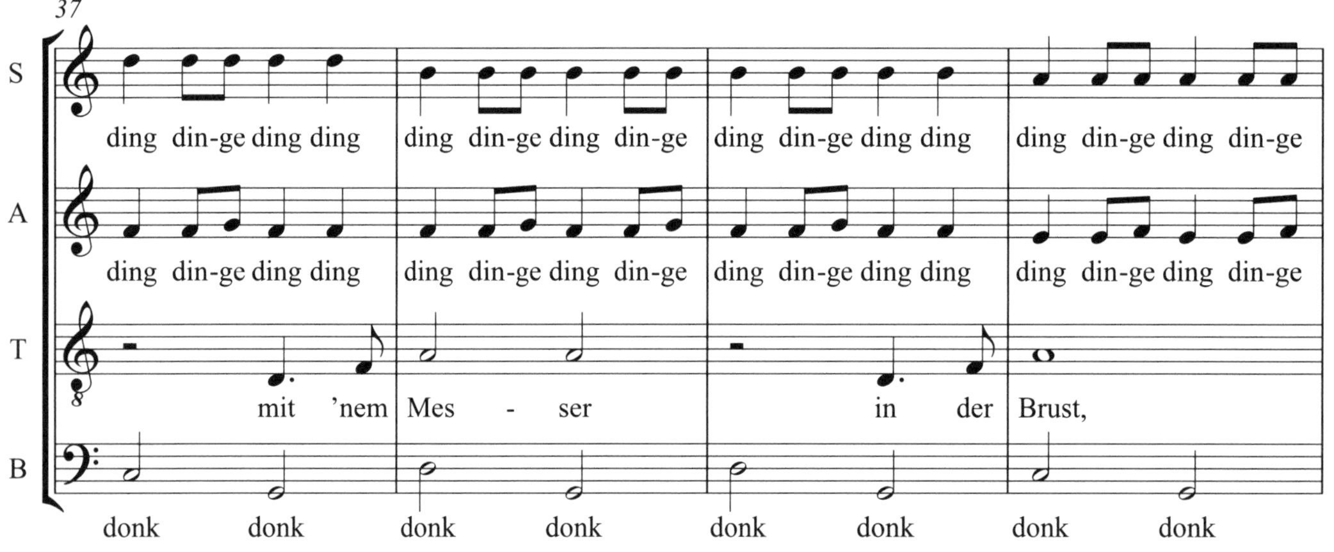
37
S
A
T
B
ding din-ge ding ding
ding din-ge ding din-ge
ding din-ge ding ding
ding din-ge ding din-ge
ding din-ge ding ding
ding din-ge ding din-ge
ding din-ge ding ding
ding din-ge ding din-ge
mit 'nem Mes - ser in der Brust,
donk donk donk donk donk donk donk donk

41
S
A
T
B
ding din-ge ding ding
ding din-ge ding din-ge
ding din-ge ding din-ge
ding din-ge ding din-ge
ding din-ge ding ding
ding din-ge ding din-ge
ding din-ge ding din-ge
ding din-ge ding din-ge
und am Kai geht Ma - ckie Mes - ser,
donk donk donk donk donk donk donk donk

45
S
ding din-ge ding ding ding din-ge ding din-ge ding din-ge ding ding ding din-ge ding din-ge
A
ding din-ge ding ding ding din-ge ding din-ge ding din-ge ding ding ding din-ge ding din-ge
T
der von al - lem nichts ge - wusst.
B
donk donk donk donk donk donk donk donk
49
D
S
ding din-ge ding du du du du du du du du
S
ding 5. Und das gro - ße Feu-er in So - ho, sie - ben
A
ding din-ge ding du du du du du du du du
T
5. Und das gro - ße Feu-er in So - ho, sie - ben
B
donk don - go dong dong dong dong dong dong dong dong
54
S
du du du du du du du du du
S
Kin - der und ein Greis, in der Men - ge
A
du du du du du du du du du
T
Kin - der und ein Greis, in der Men - ge
B
dong dong dong dong dong dong dong dong dong dong

59
S
S
A
T
B
du du du du du du du du du du
— Ma - ckie Me - ser, den — man nichts fragt und — der nichts
du du du du du du du du du du
— Ma - ckie Me - ser, den — man nichts fragt und — der nichts
dong dong dong dong dong dong dong dong dong dong
64
E
du du du da du da du da du da du da
weiß. da du da du da du da du da
du du du da du da du da du da du da
weiß. da du da du da du da du da
dong dong dong 6.Und die min - der - - jähr' - ge Wit - we,
69
du da du da du da du da du da du da du da du du da du
du da du da du da du da du da du da du da du du da du wach - te
du da du da du da du da du da du da du da du du da du
de - ren Na - men — je - der weiß, — wach - te

74
S
A
T
B
da du da du da du da du da du da du da du da
auf und war ge-schän - det, Ma - ckie, wel - ches
di di di di di di di di di di di di di di di
auf und war ge- schän - det, Ma - ckie, wel - ches
79
F
du da du da du da du da du,wach - te auf und war ge-
du da du da du da du da du da da da da
war dein Preis?
da da da da
di di di di di di di di di da da da da
war dein Preis?
wom wom wom wom
84
schän - det, Ma - ckie, wel - ches war dein Preis?
da da da da da da da da da da
wom wom wom wom wom wom wom wom wom wom wom

Morgenchoral des Peachum

9
S
Kauf den Bru - der, du Schuft! Ver -
A
Kauf, ver - kauf den Bru - der, du Schuft! Ver -
T
kauf dei - nen Bru - der, du Schuft! Ver -
B
Kauf, ver - kauf den Bru - - der.
11
S
scha - cher auch dein Weib, du Wicht! Herr - gott
A
scha - cher auch dein Weib, du Wicht! Gott für dich, er
T
scha-cher dein Eh'weib, du Wicht! Der Herrgott, für dich ist er
B
Scha - cher auch noch dein Eh' weib, denn Gott für dich, er
14
S
ist nichts als Luft beim Jüng - sten Ge - richt!
A
ist nichts als Luft beim Jüng - sten Ge - richt!
T
Luft. Er zeigt dir's beim Jüng - sten Ge - richt!
B
ist nur Luft. Zeigt dir's beim Jüng - sten Ge - richt!

Zweites Dreigroschenfinale

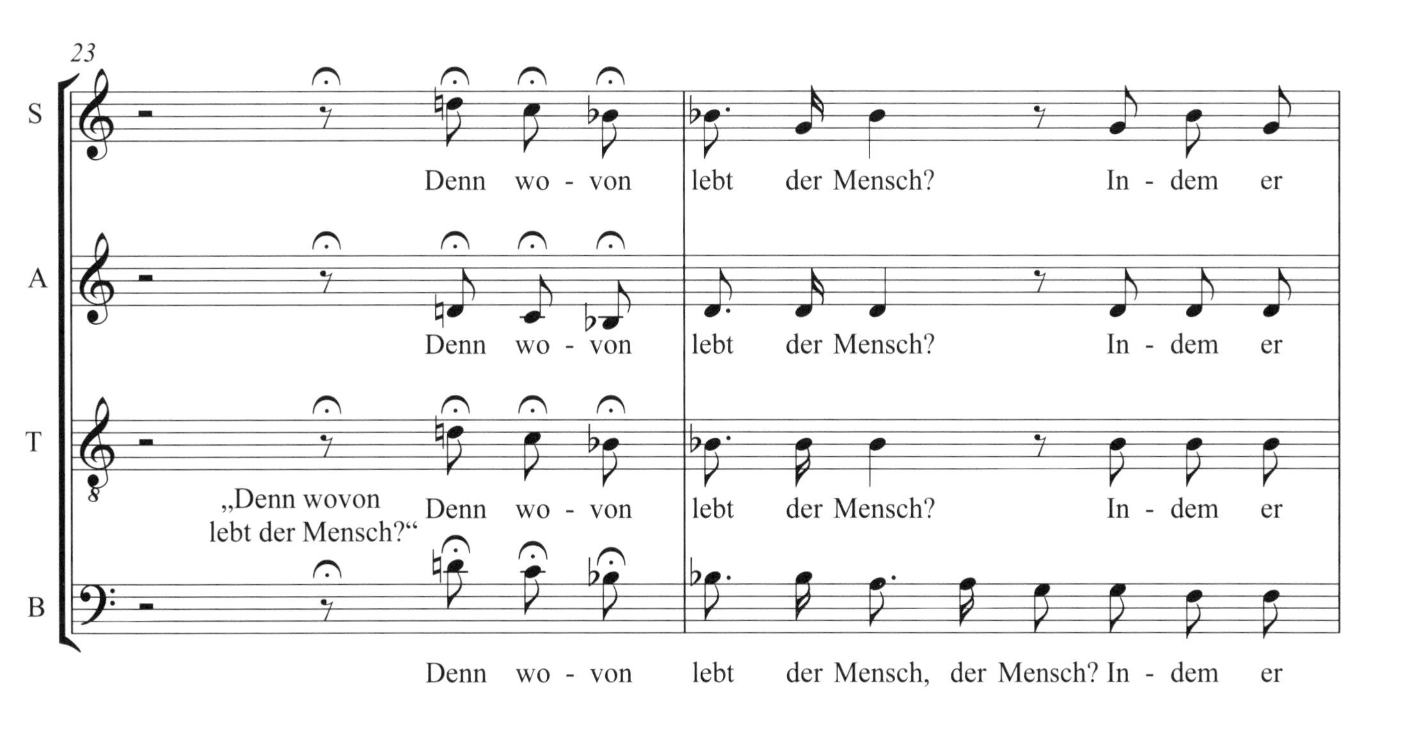
23
S
Denn wo - von lebt der Mensch? In - dem er
A
Denn wo - von lebt der Mensch? In - dem er
T
„Denn wovon lebt der Mensch?“
Denn wo - von lebt der Mensch? In - dem er
B
Denn wo - von lebt der Mensch, der Mensch? In - dem er

25
S
stünd - lich den Men - schen pei - nigt, aus - zieht, an - fällt, ab - würgt und frisst. Nur da - durch
A
stünd - lich den Men - schen pei - nigt, aus - zieht, an - fällt, ab - würgt und frisst. Nur da - durch
T
stünd - lich den Men - schen pei - nigt, aus - zieht, an - fällt, ab - würgt und frisst. Nur da - durch
B
stünd - lich pei - nigt, aus - zieht, an - fällt, ab - würgt und frisst. Nur da - durch

28
S
lebt der Mensch, dass er so gründ - lich ver -
A
lebt der Mensch, dass er im - mer - zu so gründ - lich, dass er gründ - lich dann ver
T
lebt der Mensch, dass er im - mer - zu so gründ - lich, dass er gründ - lich dann ver
B
lebt der Mensch, dass er so gründ - lich, ver -

30
S
ges - sen kann, dass er ein Mensch doch ist. Ihr
A
ges - sen kann, dass er ein Mensch doch ist. Ihr
T
ges - sen kann, dass er ein Mensch doch ist. Ihr
B
ges - sen kann, dass er ein Mensch doch ist. Ihr

32
alle:
Her - ren, bil - det euch nur da nichts ein, der
36
1.
2.
Mensch lebt nur von Mis - se-tat al - lein! -lein!

Lied von der Unzulänglichkeit menschlichen Strebens

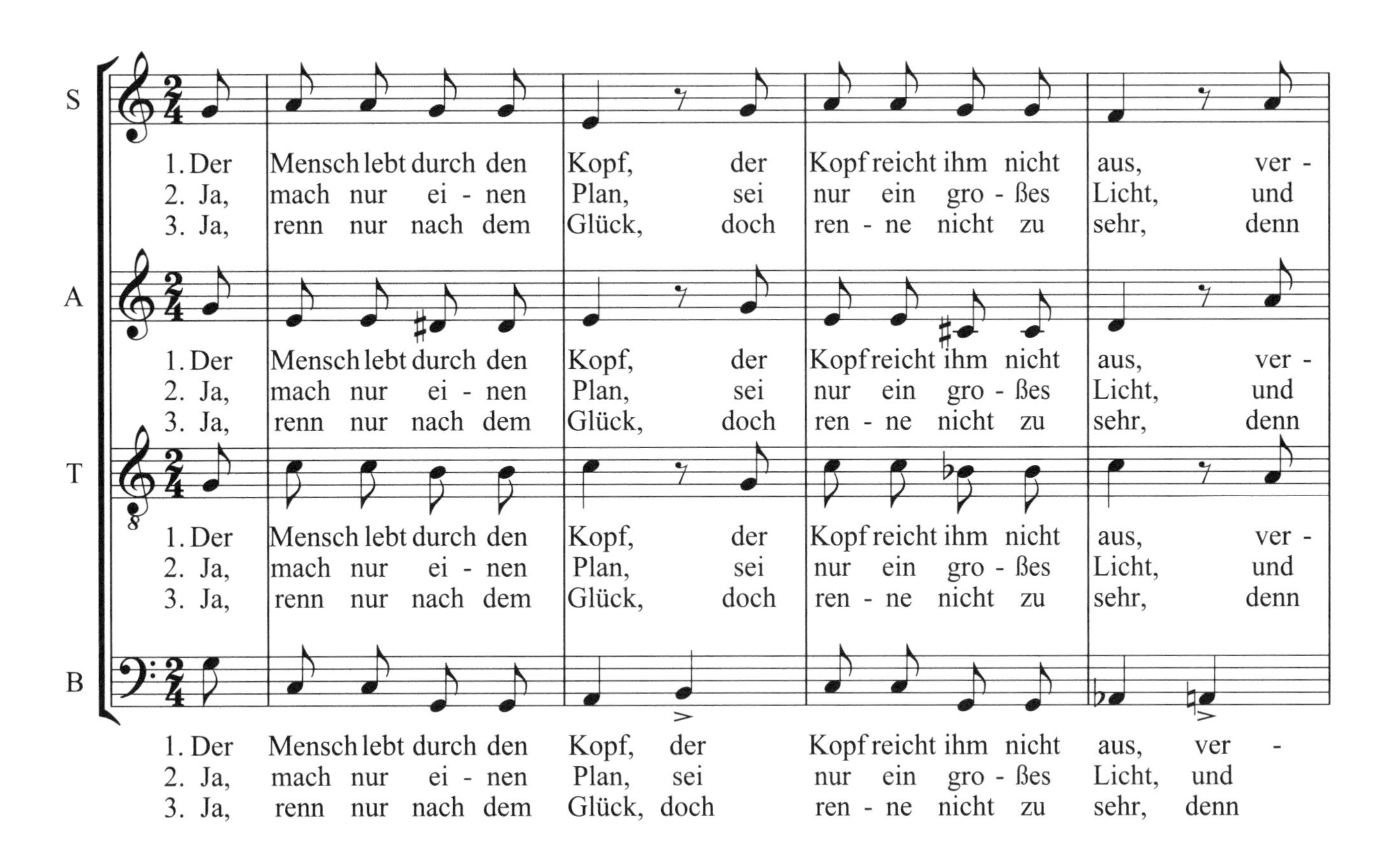

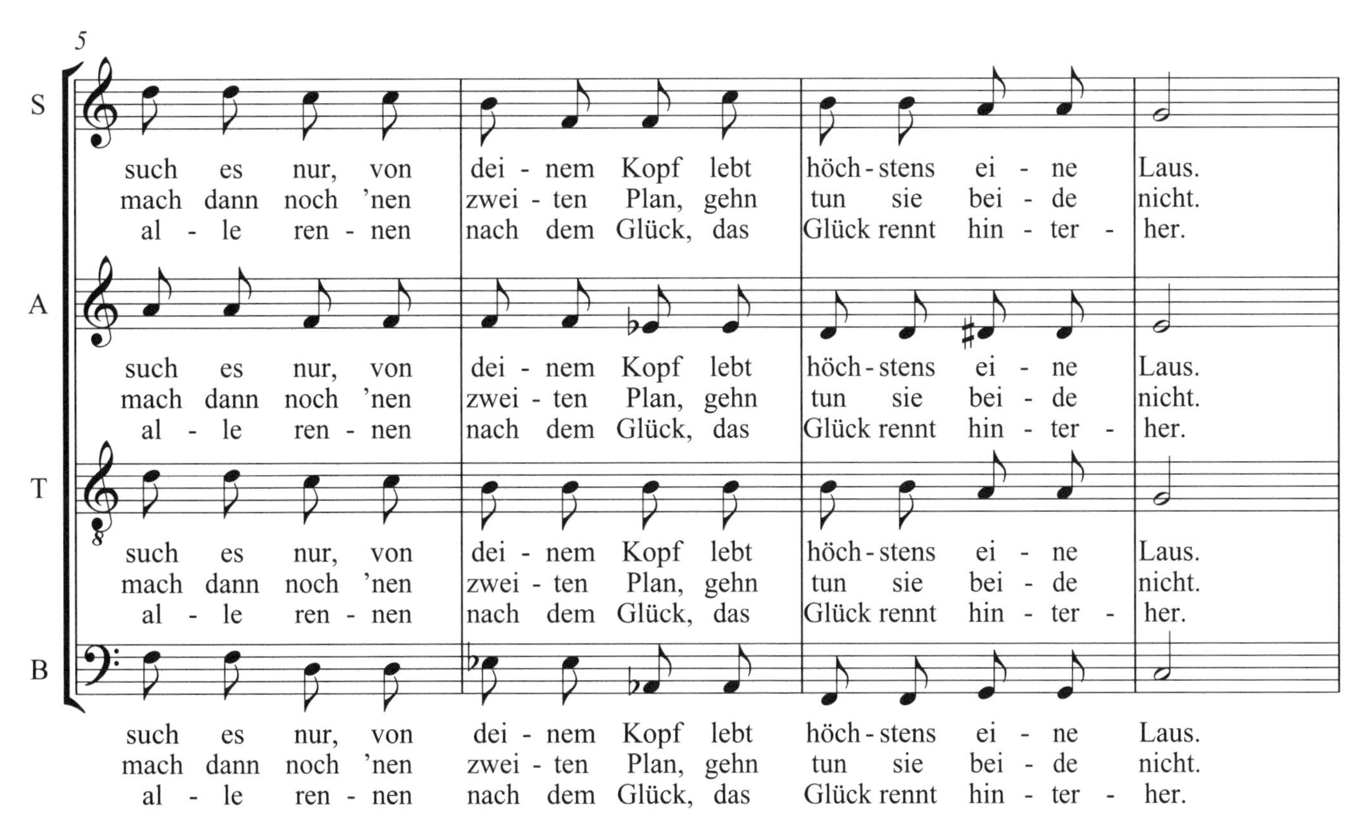

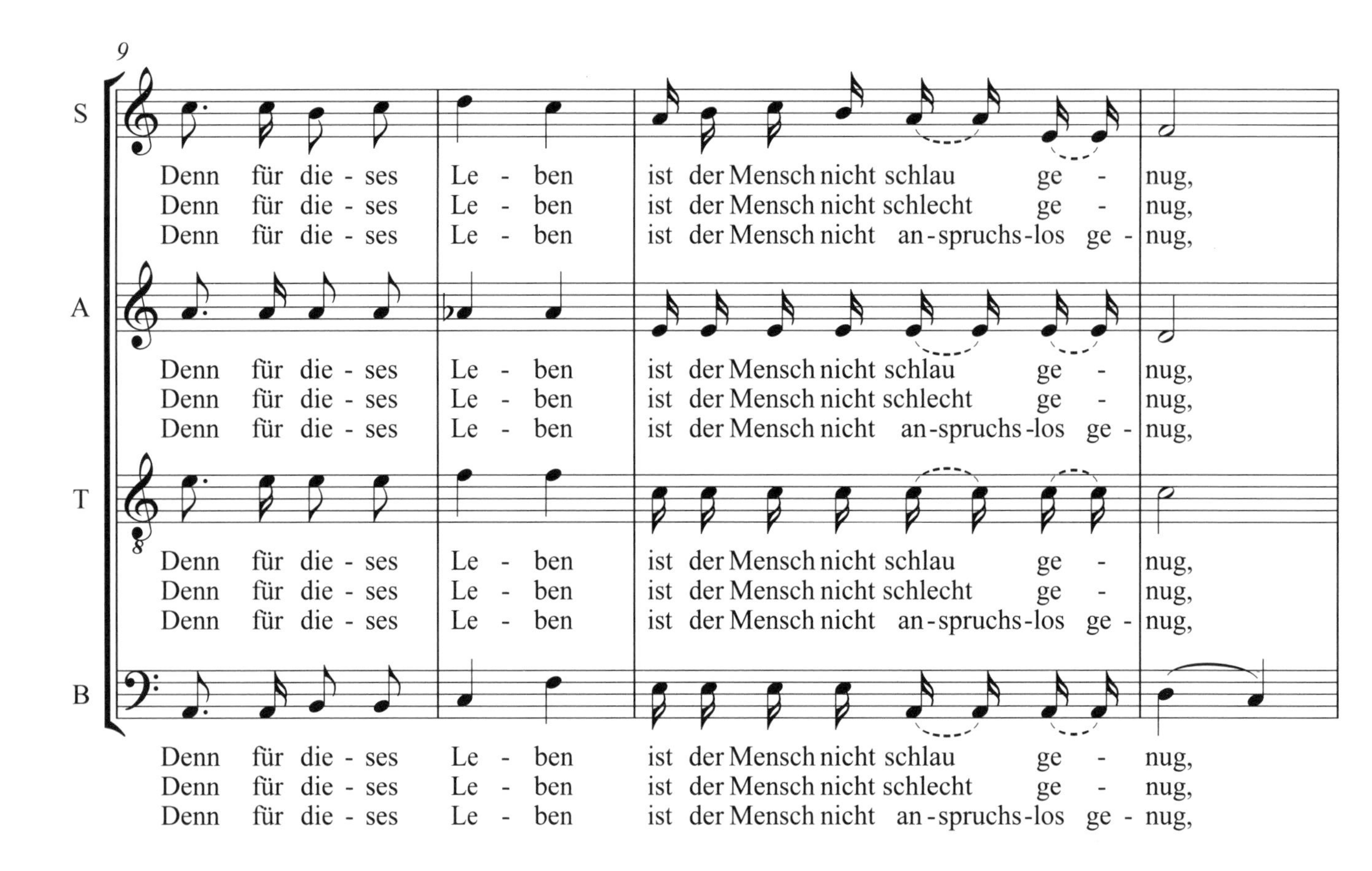
9
S
Denn für die - ses Le - ben ist der Mensch nicht schlau ge - nug,
Denn für die - ses Le - ben ist der Mensch nicht schlecht ge - nug,
Denn für die - ses Le - ben ist der Mensch nicht an - spruchs - los ge - nug,
A
Denn für die - ses Le - ben ist der Mensch nicht schlau ge - nug,
Denn für die - ses Le - ben ist der Mensch nicht schlecht ge - nug,
Denn für die - ses Le - ben ist der Mensch nicht an - spruchs - los ge - nug,
T
Denn für die - ses Le - ben ist der Mensch nicht schlau ge - nug,
Denn für die - ses Le - ben ist der Mensch nicht schlecht ge - nug,
Denn für die - ses Le - ben ist der Mensch nicht an - spruchs - los ge - nug,
B
Denn für die - ses Le - ben ist der Mensch nicht schlau ge - nug,
Denn für die - ses Le - ben ist der Mensch nicht schlecht ge - nug,
Denn für die - ses Le - ben ist der Mensch nicht an - spruchs - los ge - nug,

13
S
nie - mals merkt er e - ben, die - sen Lug und Trug.
doch sein höh' - res Stre - ben ist ein schö - ner Zug.
drum ist all sein Stre - ben nur ein Selbst - be - trug.
A
nie - mals merkt er e - ben, die - sen Lug und Trug.
doch sein höh' - res Stre - ben ist ein schö - ner Zug.
drum ist all sein Stre - ben nur ein Selbst - be - trug.
T
nie - mals merkt er e - ben, die - sen Lug und Trug.
doch sein höh' - res Stre - ben ist ein schö - ner Zug.
drum ist all sein Stre - ben nur ein Selbst - be - trug.
B
nie - mals merkt er e - ben, die - sen Lug und Trug.
doch sein höh' - res Stre - ben ist ein schö - ner Zug.
drum ist all sein Stre - ben nur ein Selbst - be - trug.

Ruf aus der Gruft

B
9
S I
A I
T I
B I
S II
A II
T II
B II
Aus der Gruft! Aus der Gruft! Aus der Gruft! Aus der Gruft!
Stim-me, die um Mit-leid ruft. Mac-heath liegt hier nicht un-term Ha-ge-dorn, nicht un-ter
Ruf aus der Gruft!

13
S I
A I
T I
B I
S II
A II
T II
B II
Aus der Gruft! Aus der Gruft! Aus der Gruft! Gott geb', dass
Bu-chen, nein, in ei-ner Gruft! Hier-her ver-schlug ihn des Ge-schi-ckes Zorn.
Aus der Gruft! Aus der Gruft! Aus der Gruft! Aus der Gruft!
Um Mit - - leid ruft!

C
17
S I
ihr sein letz-tes Wort noch hört! Die dicksten Mau-ern schlie-ßen ihn jetzt ein. Fragt ihr denn
A I
Doch er lebt! Doch er lebt! Doch er lebt! Doch er lebt!
T I
Doch er lebt! Doch er lebt! Doch er lebt! Doch er lebt!
B I
Doch er lebt! Doch er lebt! Doch er lebt! Doch er lebt!
S II
A II
Schließt ihn jetzt ein!
T II
Schließt ihn jetzt ein!
B II
Schließt ihn jetzt ein!

21
S I
gar nicht, Freun-de, wo er sei? Ist er ge-stor-ben, kocht euch Ei-er-wein. So-lang er
A I
Doch er lebt! Doch er lebt! Doch er lebt! So-lang er
T I
Doch er lebt! Doch er lebt! Doch er lebt! Doch er lebt!
B I
Doch er lebt! Doch er lebt! Doch er lebt! Doch er lebt!
S II
A II
Kocht Ei - - er - - wein!
T II
Kocht Ei - - er - - wein!
B II
Kocht Ei - - er - - wein!

D
25
S I
A I
T I
B I
S II
A II
T II
B II
a - ber lebt, steht ihm noch bei! Wollt ihr, dass sei - ne Mar - ter e - wig
a - ber lebt, steht ihm noch bei! Wollt ihr, dass sei - ne Mar - ter e - wig
Doch er lebt! Doch er lebt! Doch er lebt!
Doch er lebt! Doch er lebt! Doch er lebt!
Steht ihm noch
Steht ihm noch
Steht ihm noch

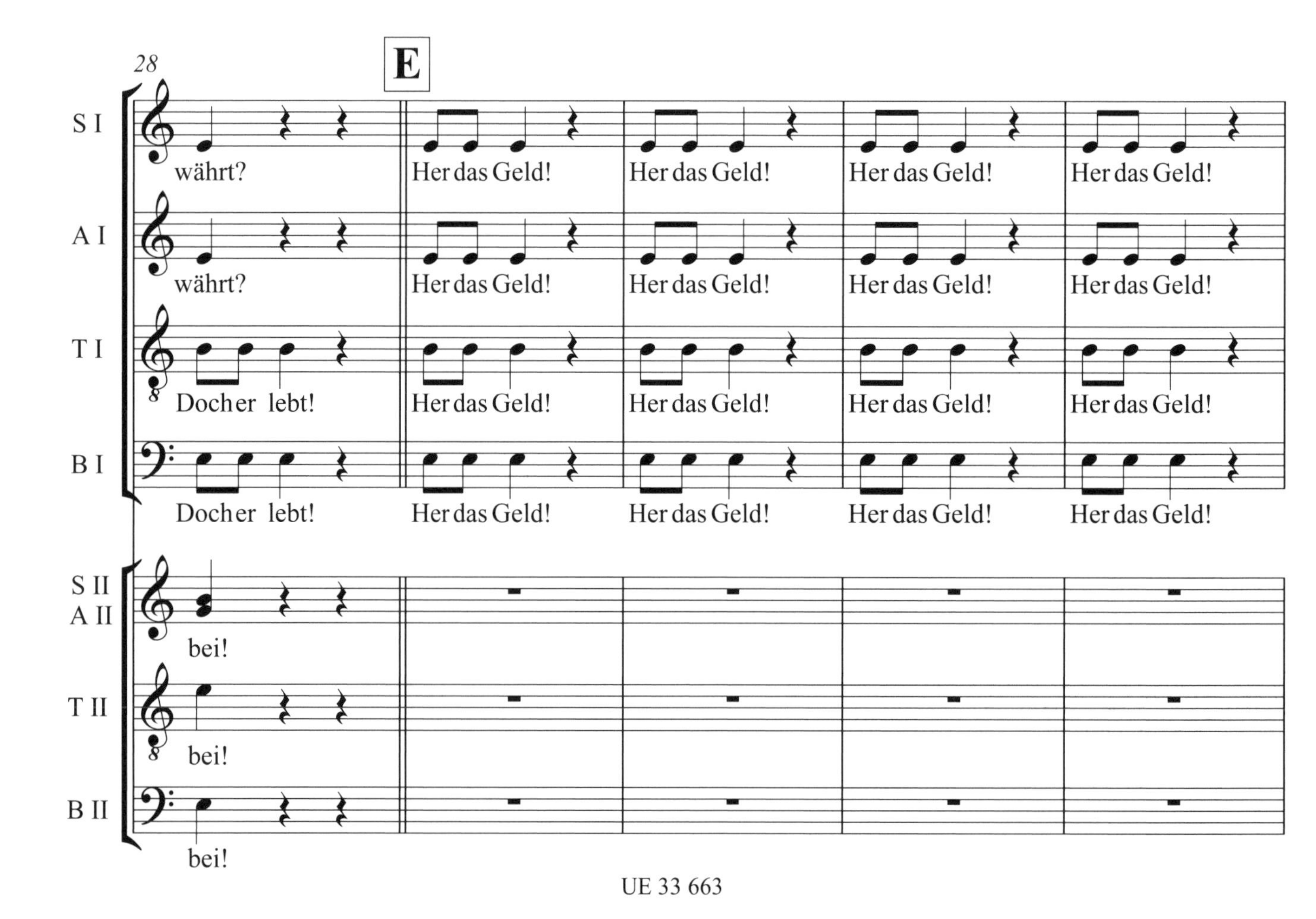
28
E
S I
A I
T I
B I
S II
A II
T II
B II
währt? Her das Geld! Her das Geld! Her das Geld! Her das Geld!
währt? Her das Geld! Her das Geld! Her das Geld! Her das Geld!
Doch er lebt! Her das Geld! Her das Geld! Her das Geld! Her das Geld!
Doch er lebt! Her das Geld! Her das Geld! Her das Geld! Her das Geld!
bei!
bei!
bei!

33
S I
A I
T I
B I
Her das Geld!
Jetzt kommt und
S II
A II
T II
B II
F
37
seht, wie es ihm dre-ckig geht, jetzt ist er wirk-lich, wasmanplei-te nennt. Die ihr als
Ein Sau - - stall hier!

41
S I
Her das Geld! Her das Geld! Her das Geld! Her das Geld!
A I
Her das Geld! Her das Geld! Her das Geld! Her das Geld!
T I
Her das Geld! Her das Geld! Her das Geld! seht, dass er
B I
o-bers-te Au-to-ri-tät nur eu-re schmier'gen Gel-der an-er-kennt,
S II
A II
Au - - to - - ri - - tät.
T II
Au - - to - - ri - - tät.
B II
Au - - to - - ri - - tät.

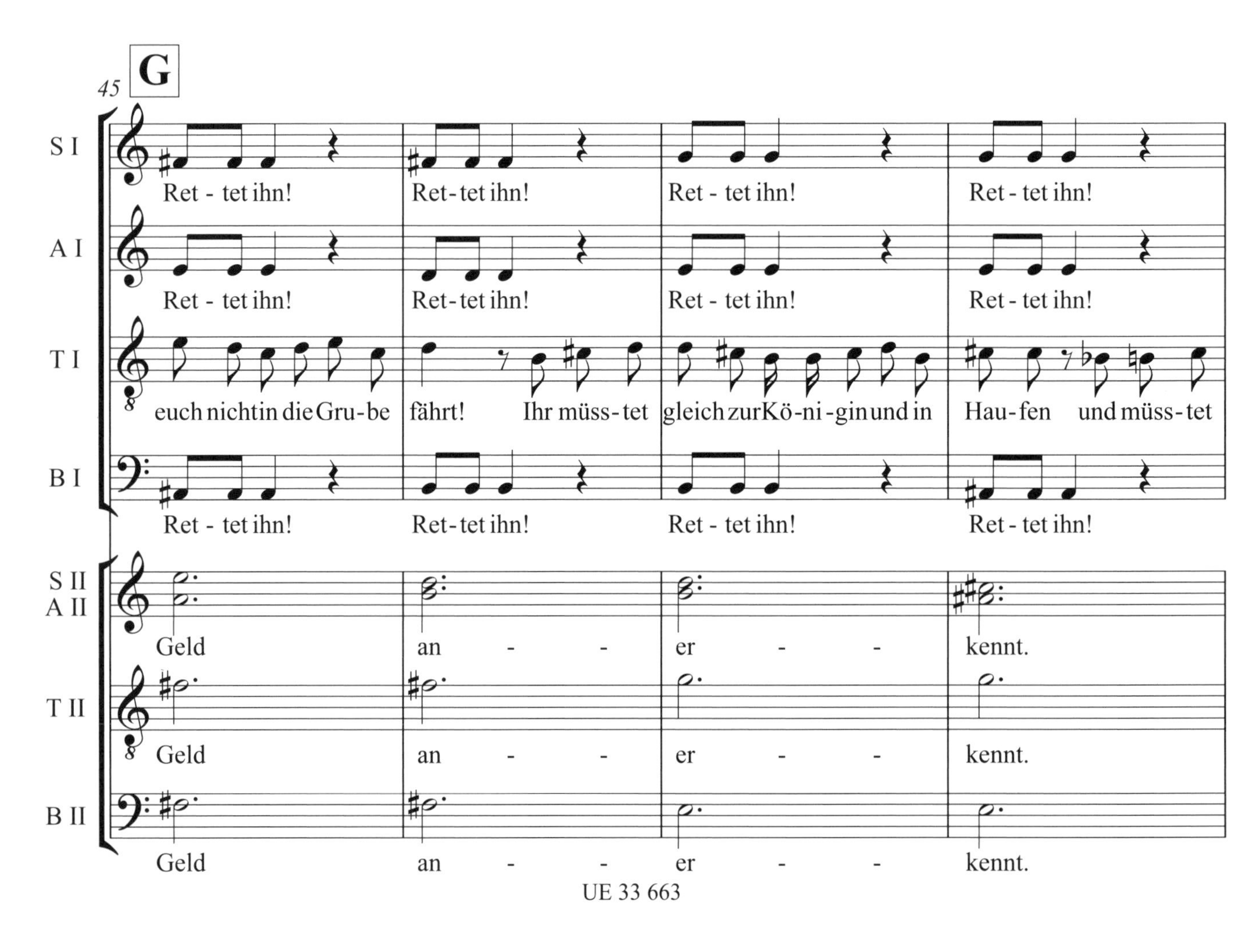
45
G
S I
Ret-tet ihn! Ret-tet ihn! Ret-tet ihn! Ret-tet ihn!
A I
Ret-tet ihn! Ret-tet ihn! Ret-tet ihn! Ret-tet ihn!
T I
euch nicht in die Gru-be fährt! Ihr müss-tet gleich zur Kö-ni-gin und in Hau-fen und müss-tet
B I
Ret-tet ihn! Ret-tet ihn! Ret-tet ihn! Ret-tet ihn!
S II
A II
Geld an - - er - - kennt.
T II
Geld an - - er - - kennt.
B II
Geld an - - er - - kennt.

49
S I
A I
T I
B I
S II
A II
T II
B II
Ret tet ihn! Ret - tet ihn! Ret-tet ihn! Ret-tet ihn!
mit ihr ü-ber ihn was spre-chen, wie Schwei-ne ei-nes hin-term an-dern lau-fen, ach, sei-ne
Ret tet ihn! Ret - tet ihn! Ret tet ihn! ach, sei-ne
Wie Schwei - - ne hin.
H
53
Ret-tet ihn! Ret - tet ihn! Ret-tet ihn! Ret-tet ihn!
Zäh-ne sind schon lang wie Re-chen. Wollt ihr, dass sei - ne Mar-ter e - wig währt?
Die Mar - - ter währt.

ISMN M-008-07867-5

DISTRIBUTED IN NORTH AND SOUTH AMERICA
EXCLUSIVELY BY
HAL LEONARD
CORPORATION
49019095

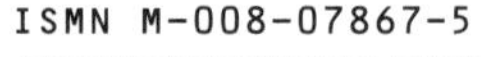

ISBN 978-3-7024-3331-4

Printed in the EU
Pl. 6/07

UE 33 663